FSC
www.fsc.org
MIXTE
Papier issu
de sources
responsables
FSC® C101807

"Imprimé en Flandres selon un cahier des charges stricte (Vlarem)
limitant tout impact sur l'environnement."

Gallimard Jeunesse/Giboulées
Sous la direction de Colline Faure-Poirée

Conception graphique: Néjib Belhadj Kacem
© Gallimard Jeunesse, 2007
ISBN : 978-2-07-057872-6
Premier dépôt légal : mars 2007
Dépôt légal: janvier 2013
Numéro d'édition: 250423
Loi n° 49956 du 16 juillet 1949
sur les publications destinées à la jeunesse
Imprimé en Belgique

Y'en a marre des tototes

Textes : Dr Catherine Dolto et Colline Faure-Poirée
Illustrations : Frédérick Mansot

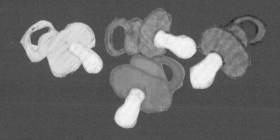

GiBOULÉES
GALLIMARD JEUNESSE

Avant de naître, les bébés, encore caché bien au chaud dans le ventre de leur maman, sucent déjà leur pouce, leurs mains, leurs pieds, leur cordon ombilical.

Ils vivent dans l'eau, ils l'avalent. Ils ont toujours quelque chose dans la bouche, ça les occupe. Quand ils sont inquiets, ils suçotent et ils avalent encore plus, c'est une façon de se rassurer.

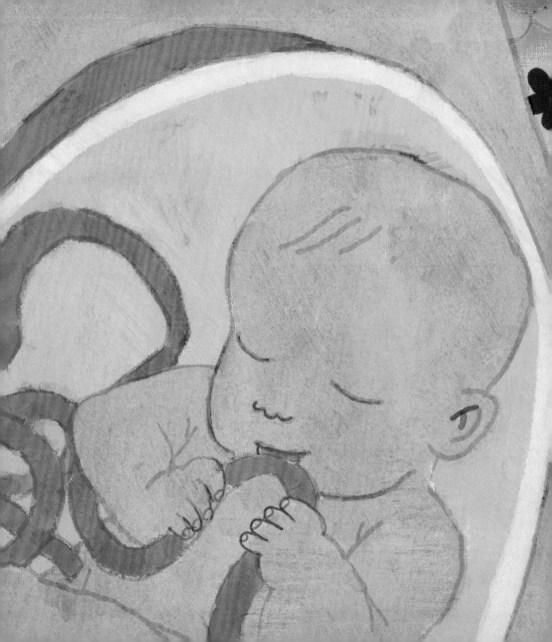

Une bonne vieille habitude comme ça, on n'a pas envie de la perdre à la naissance! Les petits bébés ont très souvent mal au ventre et un peu à la tête. En suçant leur pouce, ils se font du bien au ventre et à la tête.

Mais souvent ils n'arrivent pas à l'attraper ou alors ils ne peuvent pas le garder, parce qu'ils ne sont pas encore capables de faire obéir leurs bras et leurs mains comme ils savaient le faire dans l'eau, où tout était plus facile.

Quand ils ont mal ou qu'ils sont tristes, ça leur manque, ils pleurent. Alors on leur donne des tototes à sucer et parfois ils se calment. Quand ils grandissent, ils ne se rendent même pas compte qu'ils n'en ont plus besoin.

Les tototes, c'est bien jusqu'à trois mois, mais après ça ne sert plus à rien et c'est même un peu ridicule.

Quand on a une totote dans la bouche, c'est difficile de parler, de chanter, de faire des bisous, de sourire et même d'écouter! En plus, ça fait baver comme une limace.

Une totote, ça empêche de devenir grand et de jouer avec les autres. C'est comme si notre bouche restait une bouche de bébé, un peu comme si les grandes personnes gardaient des couches et prenaient leurs repas avec des biberons.

Il y a des parents qui ne nous aident pas à nous en séparer. Même si on fait exprès de perdre nos tototes, ils en rachètent tout le temps.

Pourtant, il y a plein de ruses pour s'en débarrasser. Elle pourrait s'envoler dans un avion, elle pourrait faire très plaisir à un chien ou à un chat. On pourrait l'envoyer par la poste à quelqu'un qu'on aime.

On peut faire une petite fête et jeter nos tototes tous ensemble. Mine de rien, on n'est plus un bébé, on a la bouche libre pour parler et on peut faire des choses de grand.

Dans la même collection :